MEASUREMENT

팩토슐레 Math Lv. 1 교재 소개

" 우리 아이 첫 수학도 창의력을 키우는 **FACTO**와 함께! "

- **팩토슐레**는 처음 수학을 시작하는 유아를 위한 창의사고력 전문 프로그램입니다.
- **팩토슐레**는 만들기, 게임, 색칠하기, 붙임딱지 붙이기 등의 다양한 수학 활동을 하면서 스스로 수학 개념을 알 수 있도록 구성하였습니다.

※팩토슐레는 6권으로 구성되어 있으며, 각 권에는 30가지의 재미있는 활동이 수록되어 있습니다.

누리과정

팩토슐레는 누리과정 · 초등수학과정을 연계하여 수학의 5대 영역(수와 연산, 공간과 도형, 측정, 규칙, 문제해결력)을 균형 있게 학습할 수 있도록 하였습니다.
특히 가장 중요한 수와 연산은 각 권으로 구성하여 깊이 있는 학습이 가능하도록 하였습니다.

STEAM PLAY MATH

팩토슐레는 4, 5, 6세 연령별로 학습할 수 있도록 설계한 놀이 수학입니다.
매일매일 놀이하듯 자르고, 붙이고, 색칠하는 30가지의 재미있는 활동을 통해 창의사고력을 기를 수 있습니다.

동화책풍의 친근한 그림

팩토슐레는 동화책풍의 그림들을 수록하여 아이들이 수학을 더욱 친근하게 느끼며 좋아할 수 있도록 하였습니다. 또한 한글을 최소화하고 학습 내용을 직관적으로 이해할 수 있도록 하였습니다.

팩토슐레 Math Lv. 1 교구·App 소개

"수학 교육 분야 **증강현실**(AR)과 **사물인식**(OR) 기술을 **국내 최초** 도입"

자기주도학습 팩토슐레 App만의 장점

팩토슐레 App은 사물인식(OR) 기술을 사용하여 아이들의 학습 정보를 습득한 후, App에 프로그래밍된 학습도우미를 통하여 아이들이 문제 푸는 것을 힘들어하거나 틀릴 경우에는 힌트를 제공합니다.
이와 같은 방식의 스마트기기와의 상호작용은 학습의 효율을 높이고 자기주도학습 능력을 길러 줍니다.

완벽한 학습 설계 App 다른 교육 App과의 차별점

팩토슐레 App은 수학 교육 목표에 맞게 완벽한 학습 설계가 되어 있습니다. 아이들은 게임 기반의 학습 App을 진행하면서 어려운 문제도 술술 풀 수 있습니다.

증강현실(AR) 기술 도입

팩토슐레 App은 아이들이 캐릭터와 사진도 찍고, 자신이 그린 그림으로 자기만의 쿠키도 만들면서 학습 몰입도를 높일 수 있습니다.

01
봄이 오면 땅에는 파릇파릇 새싹이 돋아나고, 나무에는 예쁜 꽃들이 가득 피어요.
목련꽃이 활짝 핀 나무를 만들어 보세요.

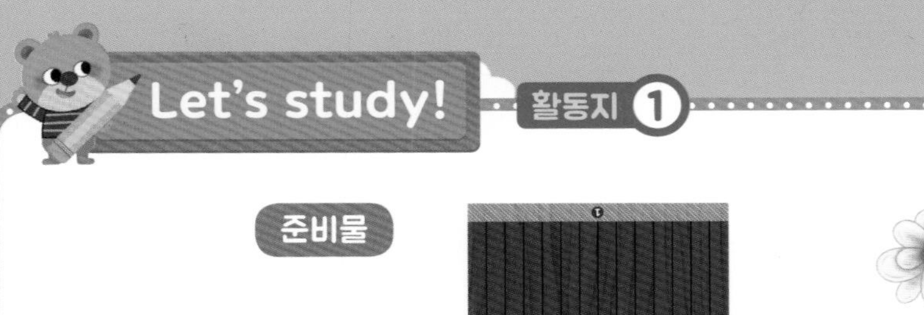

활동지 ①

준비물

나무

목련꽃

풀

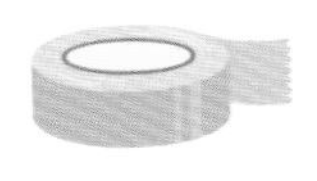

테이프

① 나무 활동지의 중간 부분을 뜯습니다.

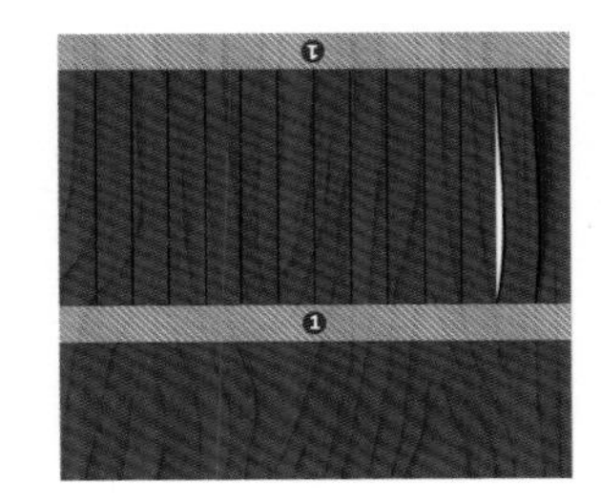

② 나무 활동지를 아래와 같이 붙입니다.

③ 나무 활동지를 옆으로 말아 테이프로 붙입니다.

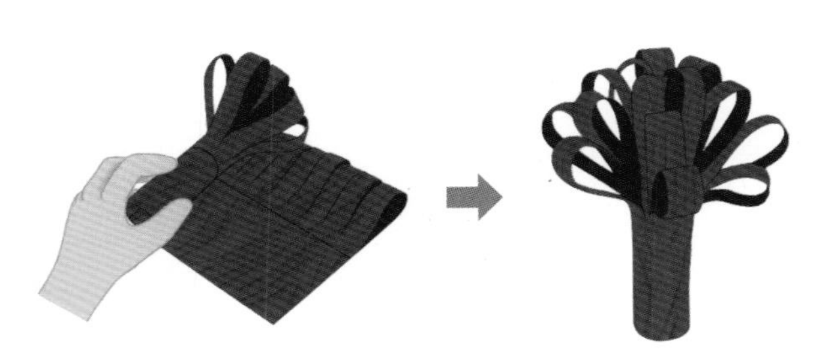

④ 목련꽃을 나무 사이사이에 끼워 완성합니다.

완성!

엄마는 선생님!

봄에는 목련꽃, 나무와 잔디에 돋아난 새싹들을 볼 수 있습니다. 봄에 볼 수 있는 꽃과 나무를 찾아 이야기해 봅니다.

02

햇살이 뜨거운 여름에는 시원한 바다에서 신나는 물놀이를 해요.
친구들을 붙여 **여름 바다 풍경**을 완성해 보세요. 활동지 ②

잠수하기, 공놀이하기, 튜브 타기, 서핑보드 타기 등 여름 바다에서 노는 아이들을 찾아보고, 나만의 시원한 여름나기 방법을 이야기해 봅니다.

03

가을에는 감나무, 밤나무, 사과나무, 배나무들이 울긋불긋 단풍 옷을 입어요. 친구들이 과일 나무에서 잘 익은 열매를 따고 있네요. 색 띠를 사용하여 **단풍 나무**를 만들어 보세요.

Let's study! 활동지 ① ②

준비물

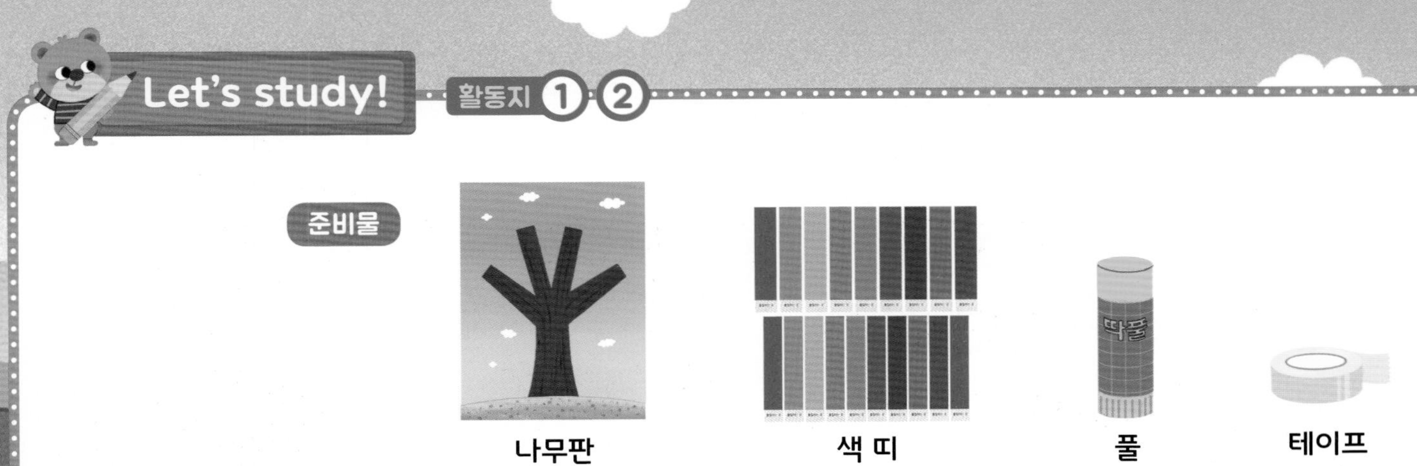

나무판 색 띠 풀 테이프

① 색 띠를 동그랗게 말아 고리를 만듭니다.

② 주어진 색 띠를 사용하여 여러 개의 고리를 만듭니다.

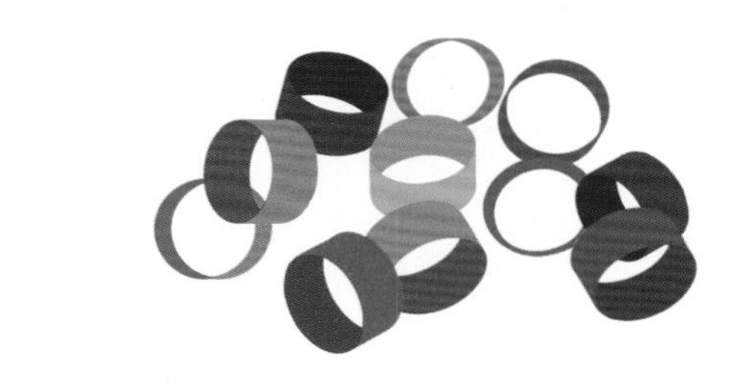

③ 만든 고리를 나무판에 자유롭게 붙여 단풍 나무를 만들어 봅니다.

완성

엄마는 선생님!

가을에는 감, 밤, 사과, 배 등 많은 채소와 과일들을 수확할 수 있습니다. 가을에 볼 수 있는 과일을 찾아 이야기해 봅니다.

04
눈이 펑펑 내리는 겨울날이에요. 신이 난 친구들이 커다란 눈사람을 만들고 있네요.
친구들을 도와 눈사람을 꾸며 보세요. 활동지 3

엄마는
선생님!
여러 가지 물건을 사용하여 재미있게 눈사람을 꾸미는 활동을 통해 창의력을 기를 수 있습니다.

05 봄, 여름, 가을, 겨울에 따라 나무도 여러 가지 색깔의 옷을 입어요. **사계절이 담긴 나무**를 만들어 보세요.

Let's study! 활동지 ③·④

준비물

나무(봄, 여름, 가을, 겨울)

꽃과 나뭇잎, 눈송이

풀

① 나무 활동지 4장을 모두 반으로 접습니다.

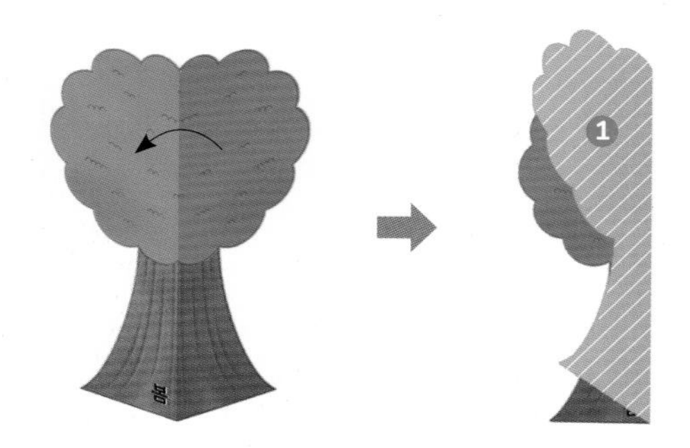

② 나무에 써 있는 같은 번호끼리 서로 붙입니다.

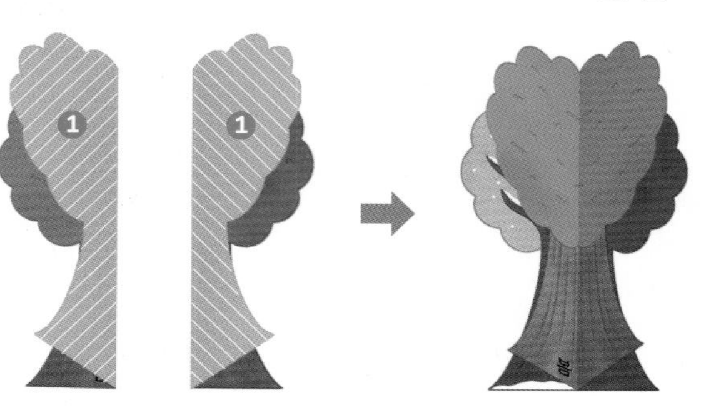

③ 봄, 여름, 가을, 겨울 나무에 꽃과 나뭇잎, 눈송이를 알맞게 붙여 각 계절을 나타내는 나무를 완성합니다.

봄 여름 가을 겨울

나무가 울긋불긋한
옷을 입었네!

가을 나무예요!

가을

딱풀

엄마는 선생님!

봄, 여름, 가을, 겨울 순으로 변해가는 나무의 모습으로 계절을 이해하고, 계절에 따른 나무의 변화도 알 수 있습니다.

06 개미와 베짱이의 일부분이에요. 동화를 읽고 알맞은 계절을 찾아 붙여 보세요.

향긋한 꽃이 활짝 핀
봄이 왔어요.
개미들은 부지런히 꽃잎과
나뭇잎을 모으고 있어요.
베짱이는 풀잎 위에서 콧노래를
부르고 있네요.

활동지
붙이는 곳

활동지
붙이는 곳

햇빛이 쨍쨍 내리쬐는
여름이 왔어요.
개미들은 추운 겨울에 대비하기
위해 열심히 일을 하고 있어요.
베짱이는 시원한 나무 그늘 아래서
노래를 부르고 있네요.

나뭇잎이 울긋불긋 물든
가을이 왔어요.
개미들은 겨울에 먹을 곡식과
과일을 나르고 있어요.
베짱이는 낙엽 위에서 신나게
기타 연주만 하고 있네요.

활동지
붙이는 곳

활동지
붙이는 곳

눈보라가 쌩쌩 몰아치는
겨울이 왔어요.
개미들은 열심히 모은 음식을 먹으며
따뜻한 겨울을 보내고 있어요.
베짱이는 갈 곳이 없어서
추운 바람에 오들오들 떨고 있네요.

팩토슐레 선생님!

이야기를 주의 깊게 듣고 계절의 순서에 맞게 상황을 구성하는 과정을 통해 각 계절의 특징을 알 수 있습니다.
완성된 그림을 보고 상황을 이야기해 봅니다.

07
친구들이 공원에서 꽃을 구경하고 있어요. 그 옆에는 자전거를 타고 있는 친구, 그림을 그리거나 사진을
찍고 있는 친구도 보이네요. 여러 가지 꽃잎으로 예쁜 꽃을 만들어 보세요.
붙임딱지 1

봄을 상징하는 여러 가지 색깔의 꽃잎을 사용하여 창의적인 모양으로 꽃을 만드는 활동을 통해 봄을 느낄 수 있습니다.

08
햇빛이 쨍쨍 내리쬐는 뜨거운 여름이에요. 아이스크림이 녹아서 울상인 친구가 보이고,
햇빛을 피하기 위해 나무 그늘에 누워계신 할아버지, 선글라스나 모자, 양산을 쓴 사람도 보여요.
시원한 수박 부채를 만들어 보세요.

준비물

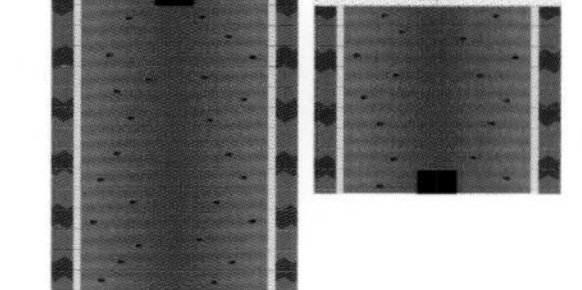

부채 몸체

나무젓가락

풀

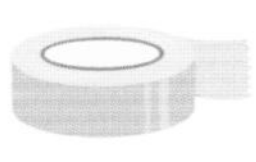

테이프

❶ 활동지 2장을 붙여 1장으로 만듭니다.

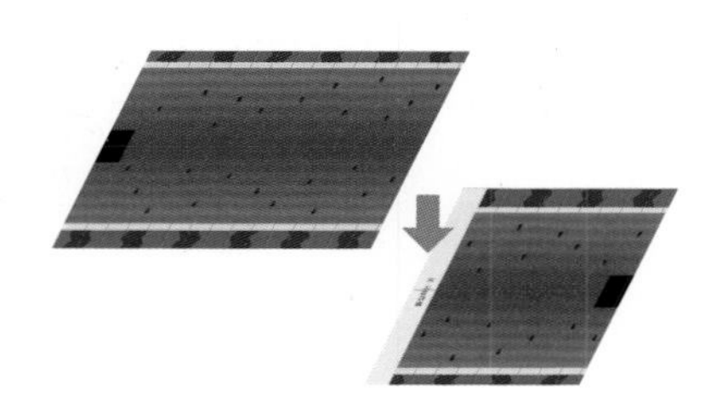

❷ 활동지를 지그재그로 접습니다.

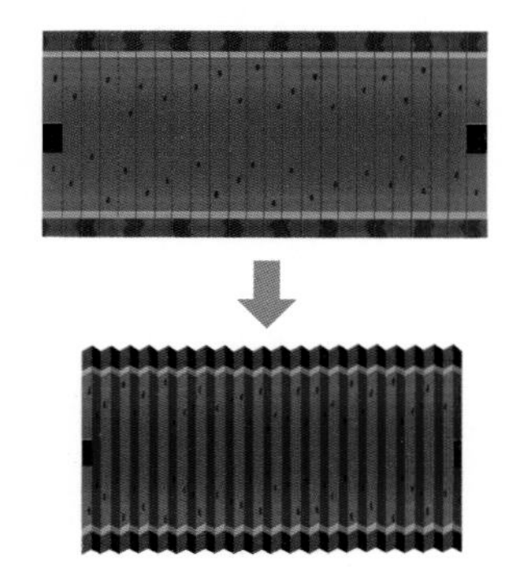

❸ 지그재그로 만든 부채 몸체를 모두 모아 절반으로 접습니다.

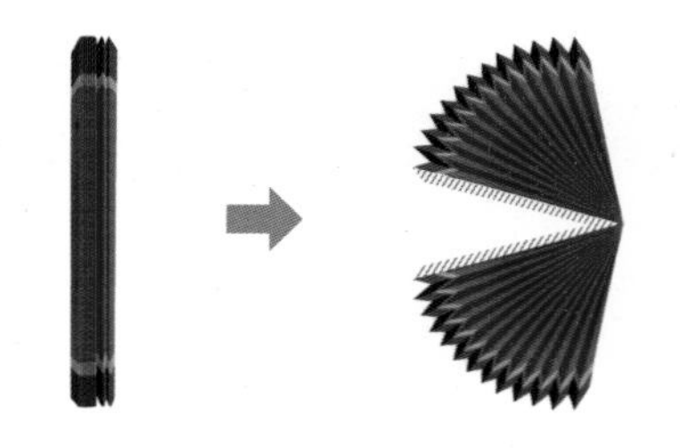

❹ 절반으로 접은 몸체의 가운데를 붙여 아래와 같이 만듭니다.

❺ 부채의 몸체를 모아 검은색 부분에 테이프를 붙입니다.

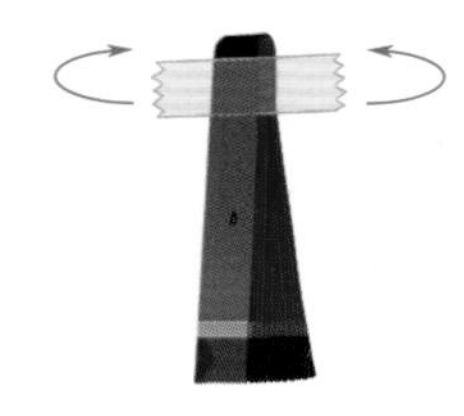

❻ 양쪽에 나무젓가락을 붙여 고정시킵니다.

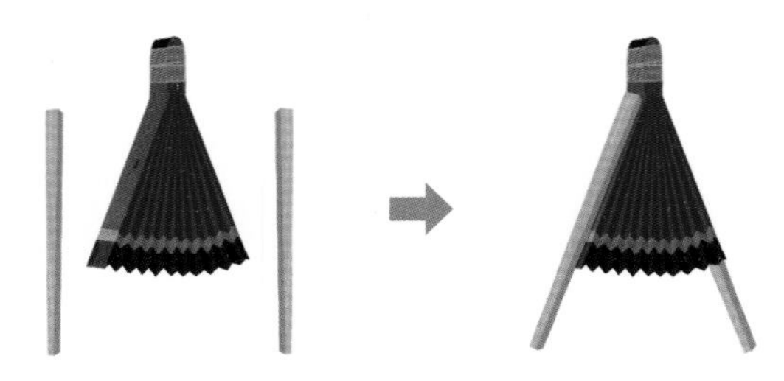

❼ 만든 부채를 바깥쪽으로 펼쳐 봅니다.

완성

엄마는 선생님!

더위를 피하기 위해 부채, 선풍기, 에어컨 바람을 쐬거나 나무 그늘에서 쉴 수 있습니다. 여름을 시원하게 보낼 수 있는 방법을 찾아 이야기해 봅니다.

09

가을이 되면 벼가 무르익은 논에는 황금빛 물결이 출렁이고, 잘 익은 벼를 쪼아먹으려고 참새가 날아드네요.
허수아비를 만들어 참새를 쫓아 보세요. 붙임딱지 1

허수아비 만드는 순서
엄마는 선생님!
벼를 참새가 쪼아먹지 못하도록 사람과 비슷한 모양으로 허수아비를 만들어 세워 놓는다는 것을 알 수 있습니다.

10

흰 눈이 온 세상을 하얗게 덮었어요. 친구들은 스케이트와 눈썰매를 타고 눈사람도 만들고 있네요.
친구들을 붙여 **눈 오는 겨울 풍경**을 완성해 보세요. 활동지 4

겨울에 할 수 있는 스케이트, 눈사람 만들기, 눈썰매, 눈싸움, 스키 등 여러 가지 놀이를 찾아 이야기해 봅니다.

11 계절 카드의 그림을 보고, 각 **계절에 알맞게 분류**해 보세요.

Let's study! 활동지 8

1. 계절 카드를 잘 섞어 그림이 보이지 않도록 바닥에 내려 놓습니다.
2. 카드를 1장씩 뒤집어 그림을 보고 계절과 관계 있는 곳에 내려 놓습니다.
3. 뒤집을 카드가 없어질 때까지 하고, 카드를 알맞게 분류하였는지 확인해 봅니다.

부채는 어느 계절에 사용하는 것일까?

더울 때 사용하니까 **여름**이요!

카드 놓는 곳

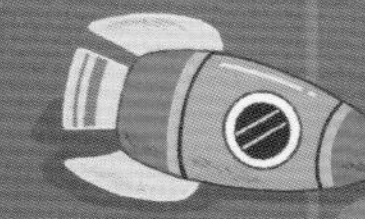

엄마는 선생님!

봄, 여름, 가을, 겨울과 관계 있는 그림을 보고 계절에 맞게 각각 분류하는 활동을 통해 정보 처리 능력을 기를 수 있습니다.

12 친구들이 찍은 사진을 **시간 순서대로** 붙이려고 해요. ? 에 들어갈 알맞은 사진을 찾아 ○표 하세요.

( , )

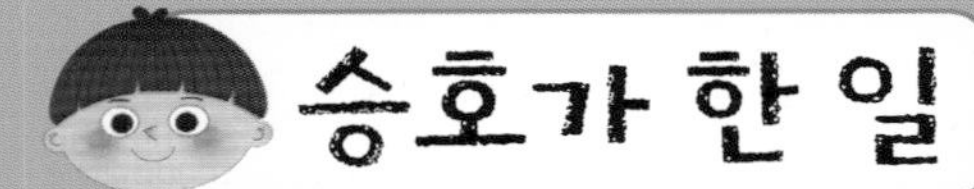

?

( , )

민하가 한 일

?

( , )

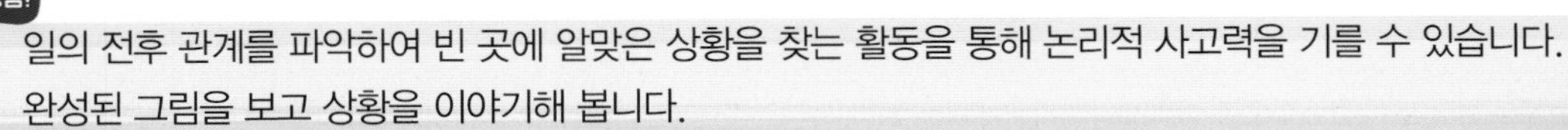

일의 전후 관계를 파악하여 빈 곳에 알맞은 상황을 찾는 활동을 통해 논리적 사고력을 기를 수 있습니다.
완성된 그림을 보고 상황을 이야기해 봅니다.

13

가족들이 봄을 맞이하여 집 안에서는 청소를 하고, 밖에서는 꽃밭을 가꾸네요.
가족들에게 **필요한 물건**을 찾아 붙여 보세요. 붙임딱지 1

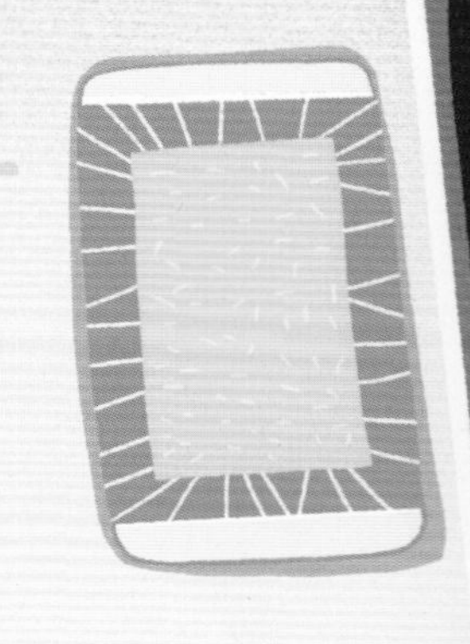

장난감
붙이는 곳

청소기
붙이는 곳

봄에는 봄맞이 대청소로 책과 장난감 정리, 바닥 청소, 쓰레기 버리기, 꽃밭에 물 주기, 씨앗이나 모종심기 등을 합니다.
집 안과 주변에서 봄이 오면 할 수 있는 것들을 찾아 이야기해 봅니다.

14

친구들이 원두막에서 수박을 먹고 있어요. 여름에는 수박, 포도, 참외, 복숭아 등 여러 가지 과일을 먹을 수 있어요. 과일로 만든 모양을 보고, **나만의 작품**을 만들어 보세요. 활동지 ⑤

과일로 작품 만들기

지렁이

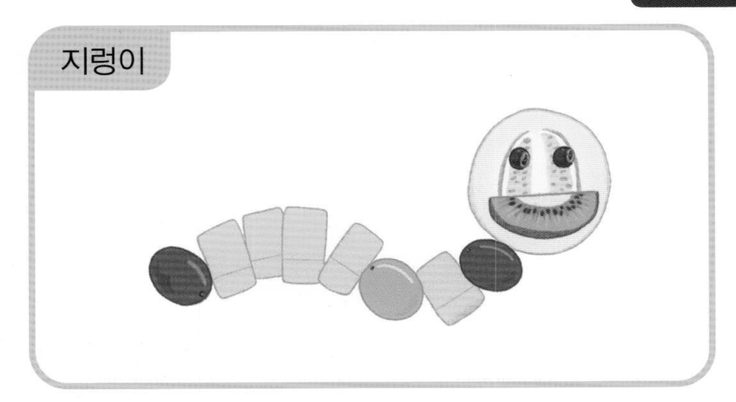

야자수

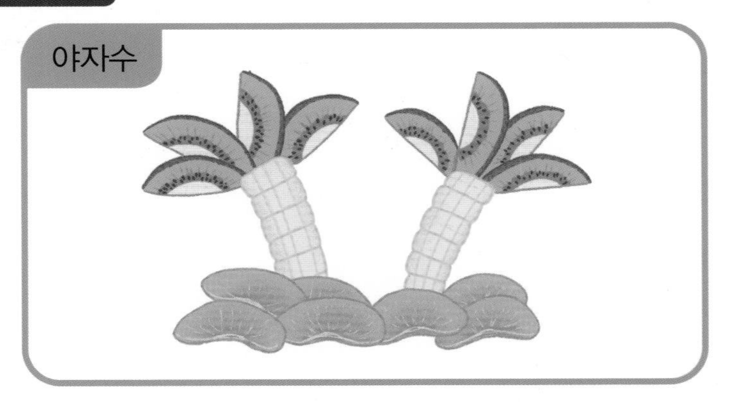

내 얼굴

나비

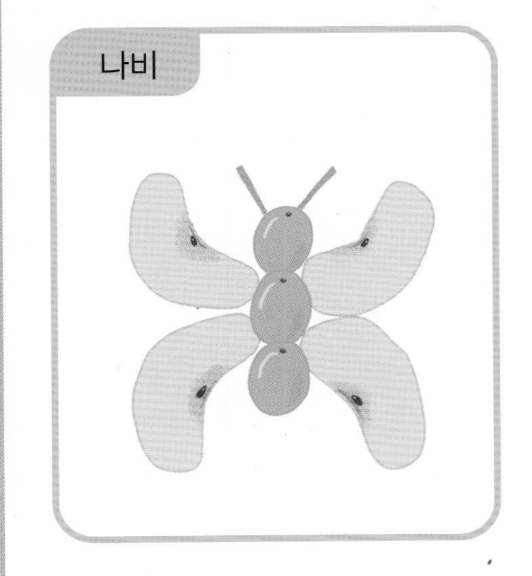

엄마는 선생님! 여름을 대표하는 과일을 알아보고, 여러 가지 과일을 사용하여 재미있는 모양을 만들며 창의력을 기를 수 있습니다.

15
친구들이 울긋불긋 단풍 든 들판으로 소풍을 갔어요. 자세히 보니 이상한 부분이 있네요.
이상한 부분 4군데를 찾아 ○표 하고, 왜 이상한지 이야기해 보세요.

엄마는 선생님!

계절의 상황을 이해하고, 그 안에서 일어날 수 있는 일과 일어날 수 없는 일을 구분할 수 있습니다.

16
추운 겨울이에요. 친구들이 꽁꽁 언 얼음 위에서 낚시도 하고, 얼음썰매도 타고, 팽이치기도 하네요. 옆에는 모닥불을 쬐고 있는 친구들도 보여요. 친구들에게 필요한 물건을 찾아 붙여 보세요.
붙임딱지 1
썰매 타는 아이 붙이는 곳
모닥불 붙이는 곳
눈뭉치 붙이는 곳

겨울에는 얼음썰매와 눈썰매 타기, 팽이치기, 눈사람 만들기, 눈싸움 등의 놀이를 합니다. 겨울에 할 수 있는 놀이들을 찾아 이야기해 봅니다.

17 주사위를 굴려 나온 계절에 알맞은 **카드를 찾는 게임**을 해 보세요.

❶ 카드를 섞은 후 각자 5장씩 가져가 자신의 칸에 자유롭게 내려 놓고 순서를 정합니다.

❷ 주사위를 굴려 나온 계절을 보고 알맞은 카드 1장을 찾아 옆으로 꺼내어 놓습니다. 이때 계절에 해당하는 그림이 없으면 카드를 꺼내어 놓을 수 없습니다.

❸ 주사위를 굴려 나온 그림에 알맞게 카드를 꺼내어 놓습니다.

이 나온 경우

사계절 중에서 계절 1개를 선택하고, 선택한 계절에 알맞은 카드 1장을 골라 꺼내어 놓습니다.

이 나온 경우

다른 사람에게 기회가 넘어갑니다.

❹ 서로 번갈아 가며 주사위를 굴려 게임을 하고, 자신의 카드를 먼저 모두 꺼내어 놓는 사람이 이깁니다.

봄, 여름, 가을, 겨울을 나타내는 그림을 보고 각 계절의 특징을 이야기할 수 있습니다.

18 은비가 **시간 순서대로** 사진을 정리하려고 해요. ? 에 들어갈 알맞은 사진을 찾아 ○표 하세요.

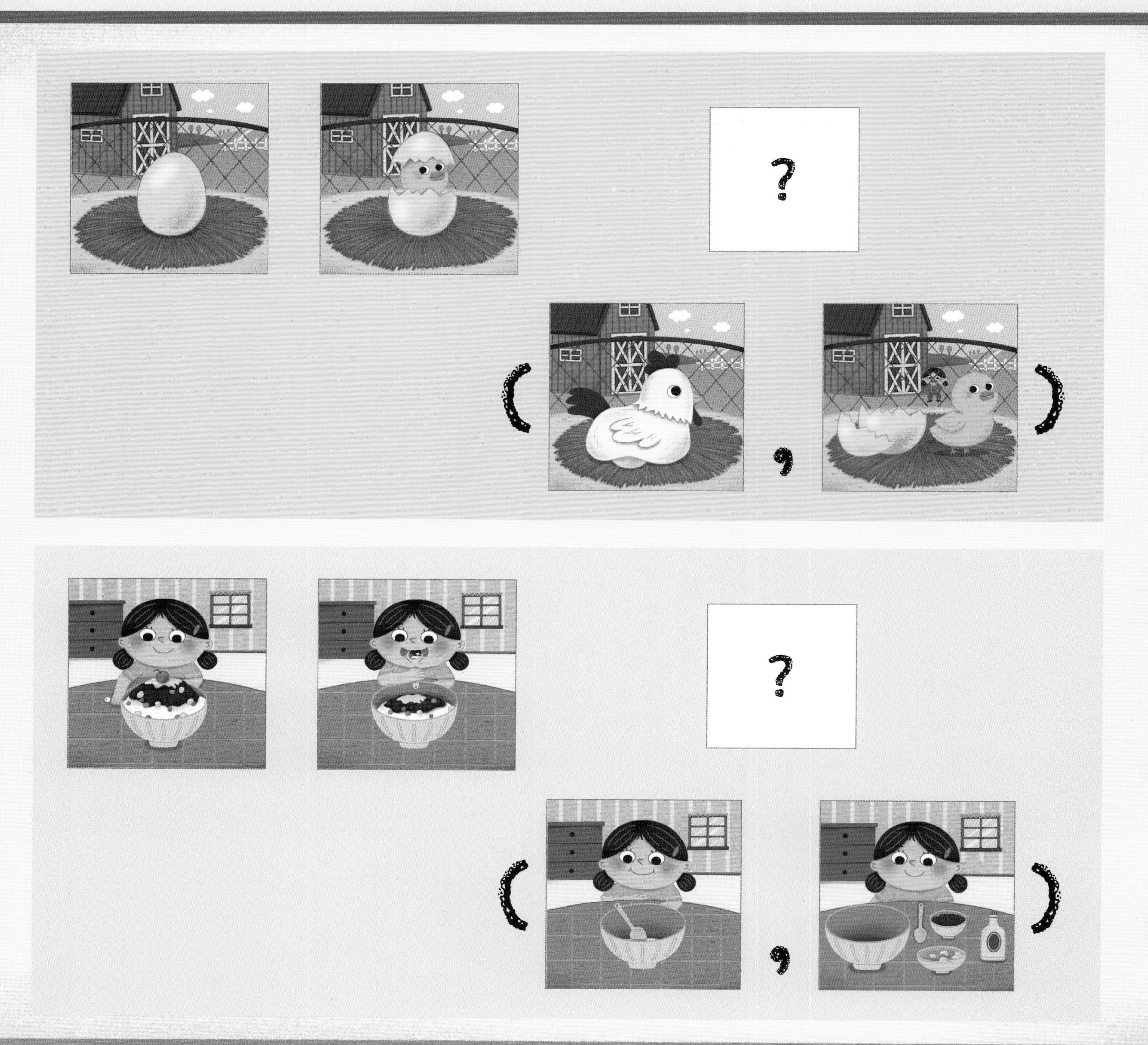

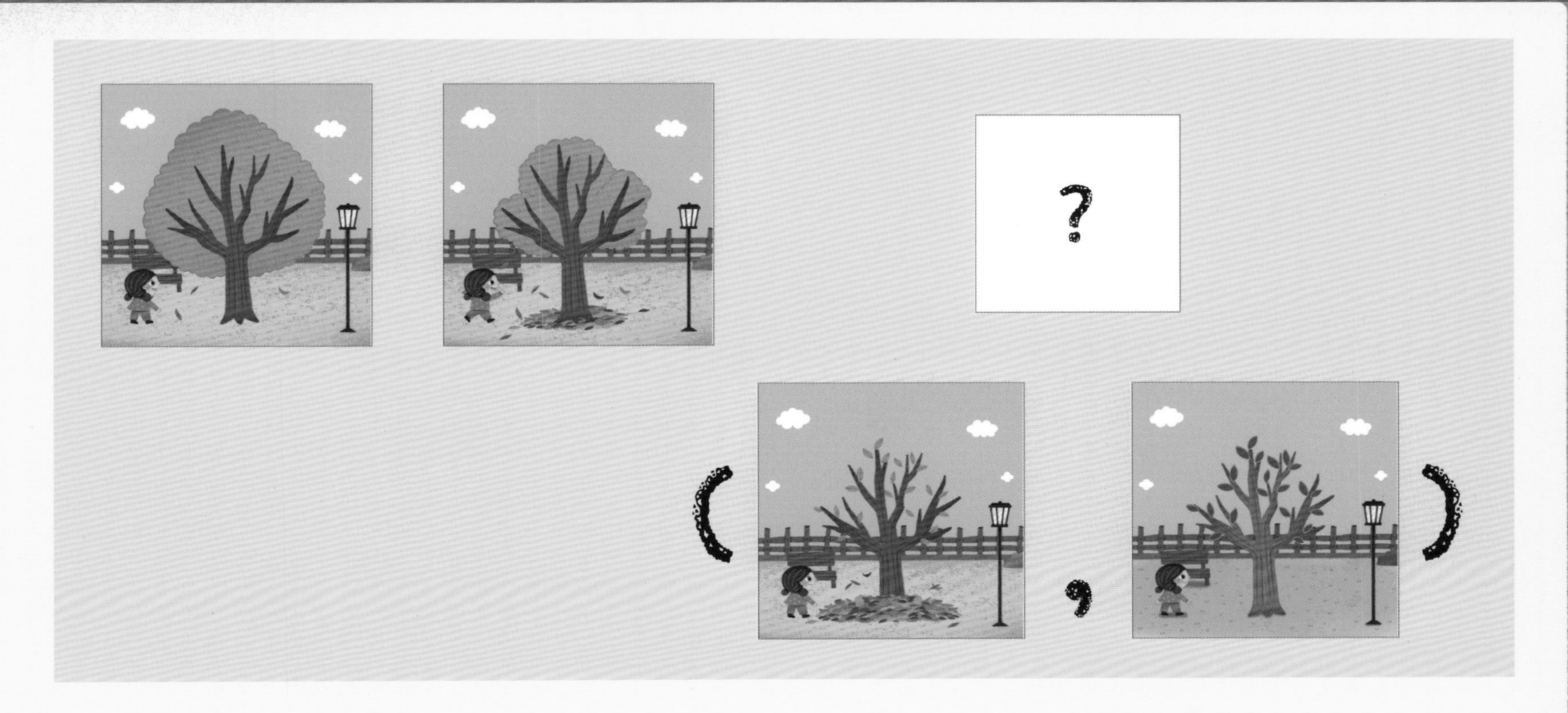

?

( , )

팩토슐레 선생님!

시간의 흐름에 따라 변화하는 상황을 이해하고, 빈 곳에 알맞은 그림을 찾는 활동을 통해 논리적 사고력을 기를 수 있습니다.
완성된 그림을 보고 상황을 이야기해 봅니다.

19

따뜻한 봄날 친구들이 공원에 놀러 나왔어요. 자세히 보니 이상한 부분이 있네요.

이상한 부분 4군데를 찾아 ○표 하고, 왜 이상한지 이야기해 보세요.

계절의 상황을 이해하고, 그 안에서 일어날 수 있는 일과 일어날 수 없는 일을 구분할 수 있습니다.

20
친구들이 곤충 채집을 하러 숲속에 왔어요. 깜짝 놀란 곤충들은 나무에, 풀 숲에, 바위에 숨었네요.
숨어 있는 곤충들을 찾아 채집통에 담아 보세요.
붙임딱지 2

엄마는
선생님!
여름에는 매미, 벌, 장수풍뎅이, 나비, 여치, 무당벌레, 개미, 사마귀 등 여러 가지 곤충을 관찰할 수 있습니다. 여름에 볼 수 있는 곤충을 찾아 이야기해 봅니다.

21

친구들이 할머니 댁에 놀러 왔어요. 잘 익은 감과 밤을 따고 잠자리도 쫓아다녀요. 연을 날리며 뛰노는 친구들 옆으로 참새를 쫓는 허수아비도 보이네요. 친구들에게 **필요한 물건**을 찾아 붙여 보세요. 붙임딱지 ②

가을 들판에서는 잠자리 잡기, 연날리기 등을 하고 과수원이나 논에서는 감과 밤을 따고 벼를 수확합니다.
가을에 수확할 수 있는 것들을 찾아 이야기해 봅니다.

22

하늘에서 펄펄 눈이 내려요. 빨리 나가서 친구들과 눈사람을 만들며 놀고 싶네요.
친구에게 따뜻한 **옷을 순서에 맞게** 입혀 주세요. 활동지 8

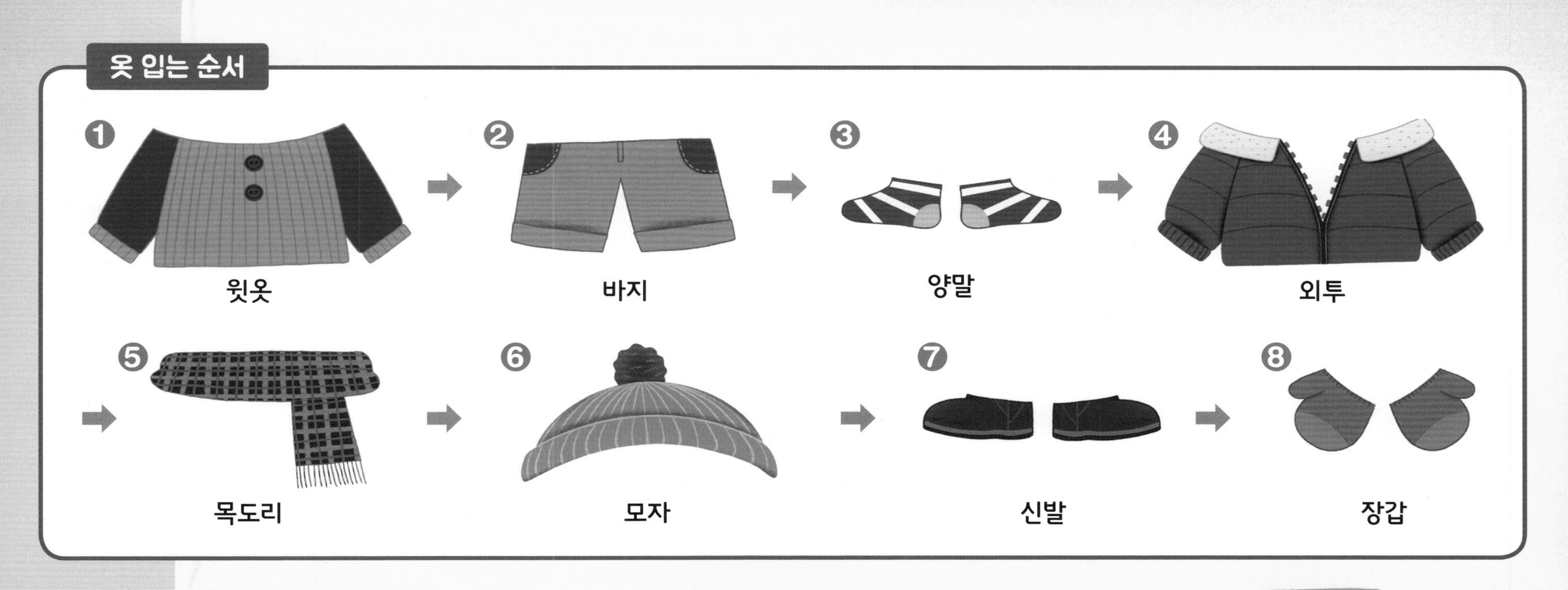

겨울에는 몸을 따뜻하게 하기 위해서 두꺼운 옷(털옷), 털모자, 털신발, 털장갑 등을 입는다는 것을 알 수 있습니다.

23 추운 겨울에는 동물들이 겨울잠을 자고 있어요. 곰은 동굴 안에서, 달팽이는 낙엽 아래에서, 다람쥐와 두더지, 개구리, 뱀은 땅속에서 겨울 잠을 자고 있네요. **겨울잠을 자고 있는 동물**을 알맞은 곳에 붙여 보세요. 붙임딱지 ②

달팽이
개구리
붙이는 곳
개구리
두더지
붙이는 곳
두더지
다람쥐
붙이는 곳
다람쥐
엄마는 선생님!
겨울잠을 자는 동물들은 동굴, 땅속, 나뭇잎 아래 등 따뜻한 곳을 찾아 잠을 잔다는 것을 알 수 있게 합니다.

24
따스한 햇살이 가득한 봄 들판에 여러 동물들이 뛰어 놀고 있어요.
퍼즐을 맞춰 봄을 알려주는 동물을 알아보세요.
활동지 7
1 퍼즐 활동지
붙이는 곳
2 퍼즐 활동지
붙이는 곳

3 퍼즐 활동지
붙이는 곳
4 퍼즐 활동지
붙이는 곳
엄마는 선생님!
봄에는 다람쥐, 나비, 벌, 개구리 이외에도 겨울잠을 자고 일어난 뱀, 곰, 개미 등 여러 동물들을 볼 수 있습니다.
생활 주변에서 봄이 되면 만날 수 있는 동물들을 찾아 이야기해 봅니다.

25

무더운 여름날이에요. 더위를 피하기 위해 집 안에서는 선풍기 바람을 쐬고, 맛있는 수박을 먹어요. 밖에서는 뜨거운 햇빛을 피해 아빠는 파라솔 아래에 계시고, 친구들은 물놀이를 하네요. 가족들에게 **필요한 물건**을 찾아 붙여 보세요. 붙임딱지 2

여름을 시원하게 보내기 위해 부채, 선풍기 또는 에어컨 바람 쐬기, 여름 과일 먹기, 그늘 아래 있기, 물놀이 등을 합니다.
집 안과 밖에서 여름을 시원하게 보낼 수 있는 방법을 찾아 이야기해 봅니다.

26 친구들이 울긋불긋한 나뭇잎으로 여러 가지 동물들을 만들었네요. 나뭇잎을 사용하여 **나만의 작품**을 만들어 보세요. 활동지 ⑨

나만의 작품 만들기

엄마는 선생님!

가을을 상징하는 여러 가지 색깔의 나뭇잎을 사용하여 창의적인 모양을 만드는 활동을 통해 가을을 느낄 수 있습니다.

27

친구들이 꽁꽁 언 얼음 위에서 낚시를 하고 있어요. 자세히 보니 이상한 부분이 있네요.

이상한 부분 4군데를 찾아 ○표 하고, 왜 이상한지 이야기해 보세요.

엄마는 선생님!
계절의 상황을 이해하고, 그 안에서 일어날 수 있는 일과 일어날 수 없는 일을 구분할 수 있습니다.

28 친구들이 한 일을 **시간 순서대로** 붙이려고 해요. ? 에 들어갈 알맞은 그림을 찾아 순서대로 붙여 보세요. 활동지 ⑨

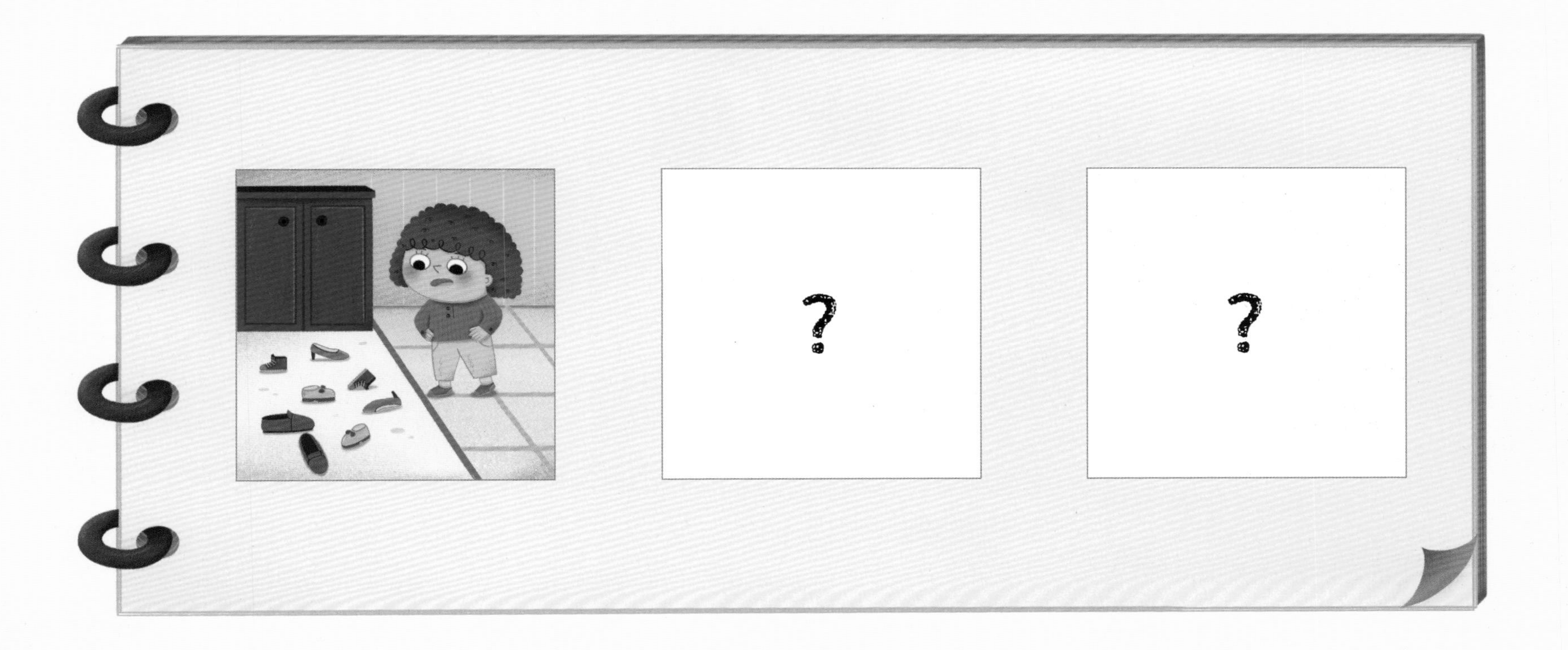

엄마는 선생님!

생활 속에서 시간의 흐름에 따라 변화하는 상황을 이해하고, 알맞은 그림을 찾는 활동을 통해 논리적 사고력과 의사소통 능력을 기를 수 있습니다. 완성된 그림을 보고 상황을 이야기해 봅니다.

29

알에서 태어난 동물들은 여러 가지 모습으로 변하면서 어른이 돼요. 풀잎 위의 나비 알은 애벌레, 번데기를 거쳐 예쁜 나비가 되어 훨훨 날아가요. 다른 동물들은 **알에서 어른이 될 때까지 모습**이 어떻게 달라지는지 알아보세요. 붙임딱지 2

잠자리
붙이는 곳

우화
(번데기가 날개 있는
성충이 돼요.)

장수풍뎅이
붙이는 곳

애벌레

번데기

애벌레

잠자리 알

장수풍뎅이 알

엄마는 선생님!

나비, 개구리, 잠자리, 장수풍뎅이가 알에서 모습이 변화되며 어른이 되는 과정을 관찰하면서 시간의 흐름에 대해 이해할 수 있습니다.

30 계절에 따라 달라지는 모습들을 나타내려고 해요. ? 에 알맞은 그림을 붙여 완성해 보세요.

활동지 9

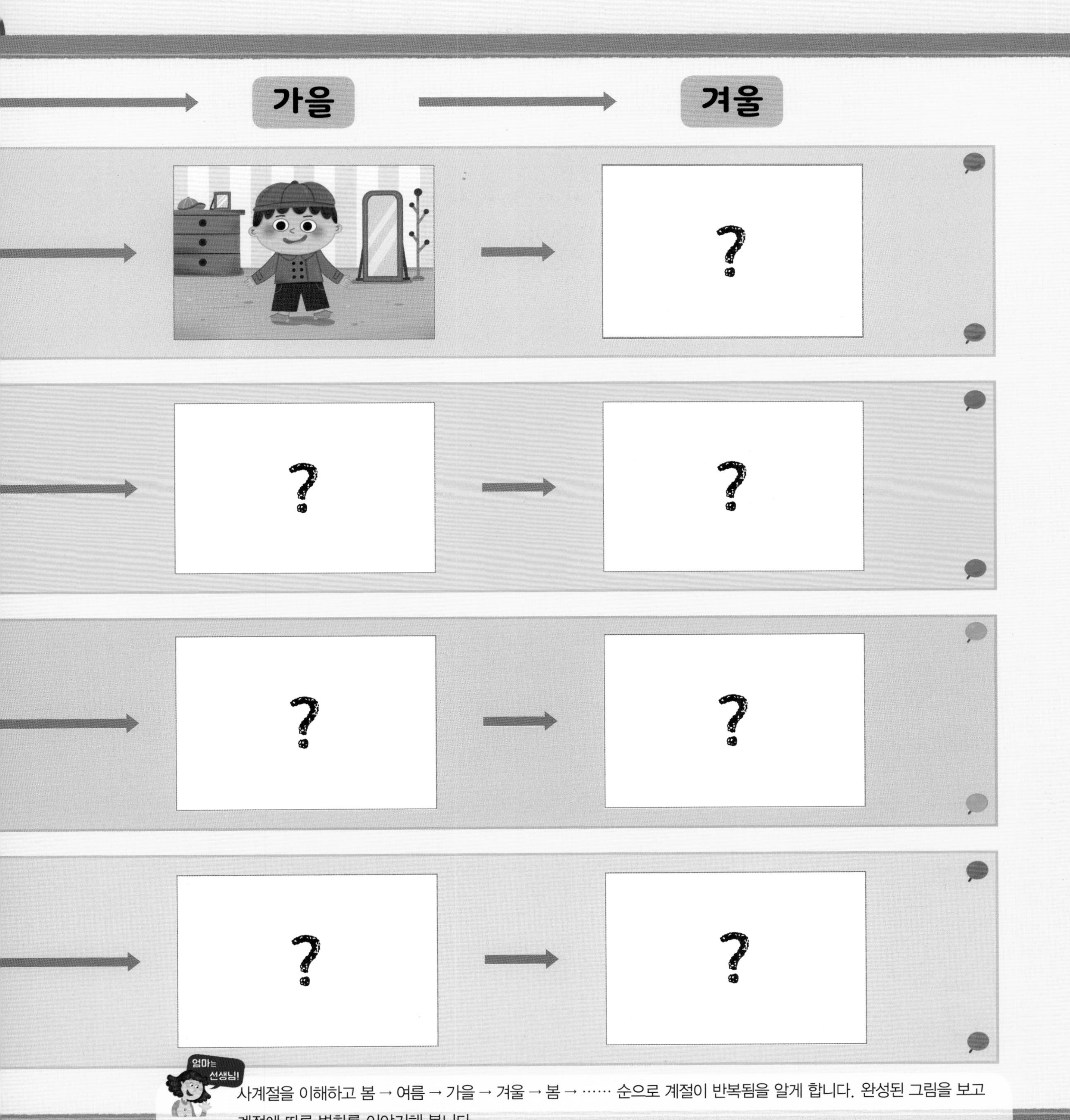

엄마는 선생님!

사계절을 이해하고 봄 → 여름 → 가을 → 겨울 → 봄 → …… 순으로 계절이 반복됨을 알게 합니다. 완성된 그림을 보고 계절에 따른 변화를 이야기해 봅니다.

MEMO

활동지 9
26
28
30

FACTO FACTO FACTO FACTO FACTO

FACTO FACTO FACTO FACTO FACTO

FACTO FACTO FACTO FACTO FACTO

FACTO FACTO FACTO FACTO FACTO

22

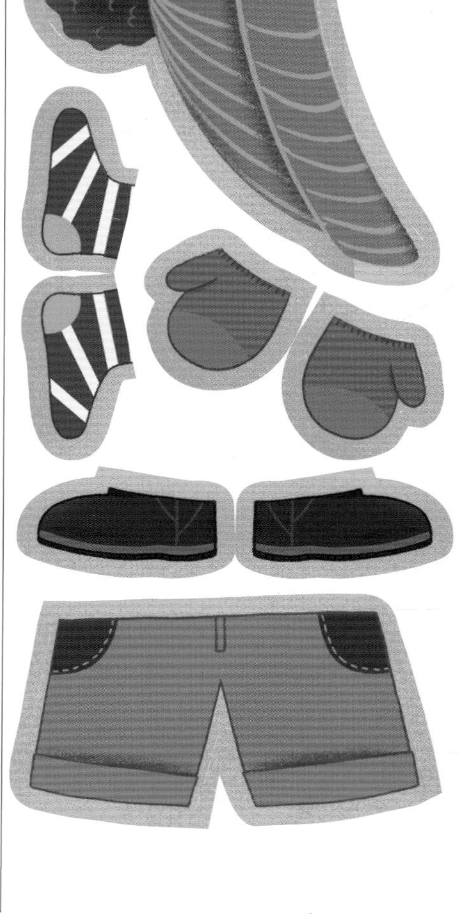

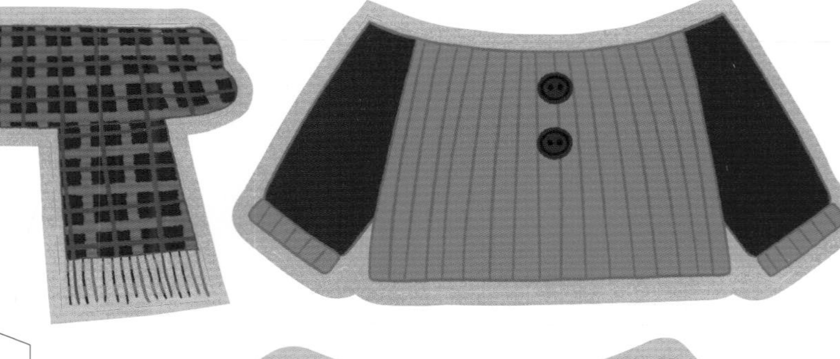

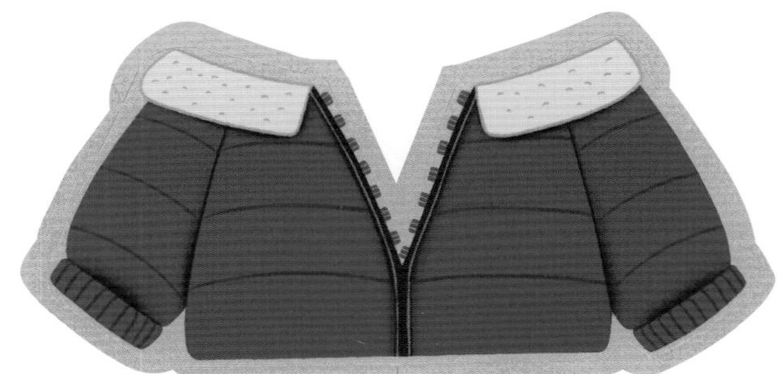

꽝

고르기

여름 가을 겨울

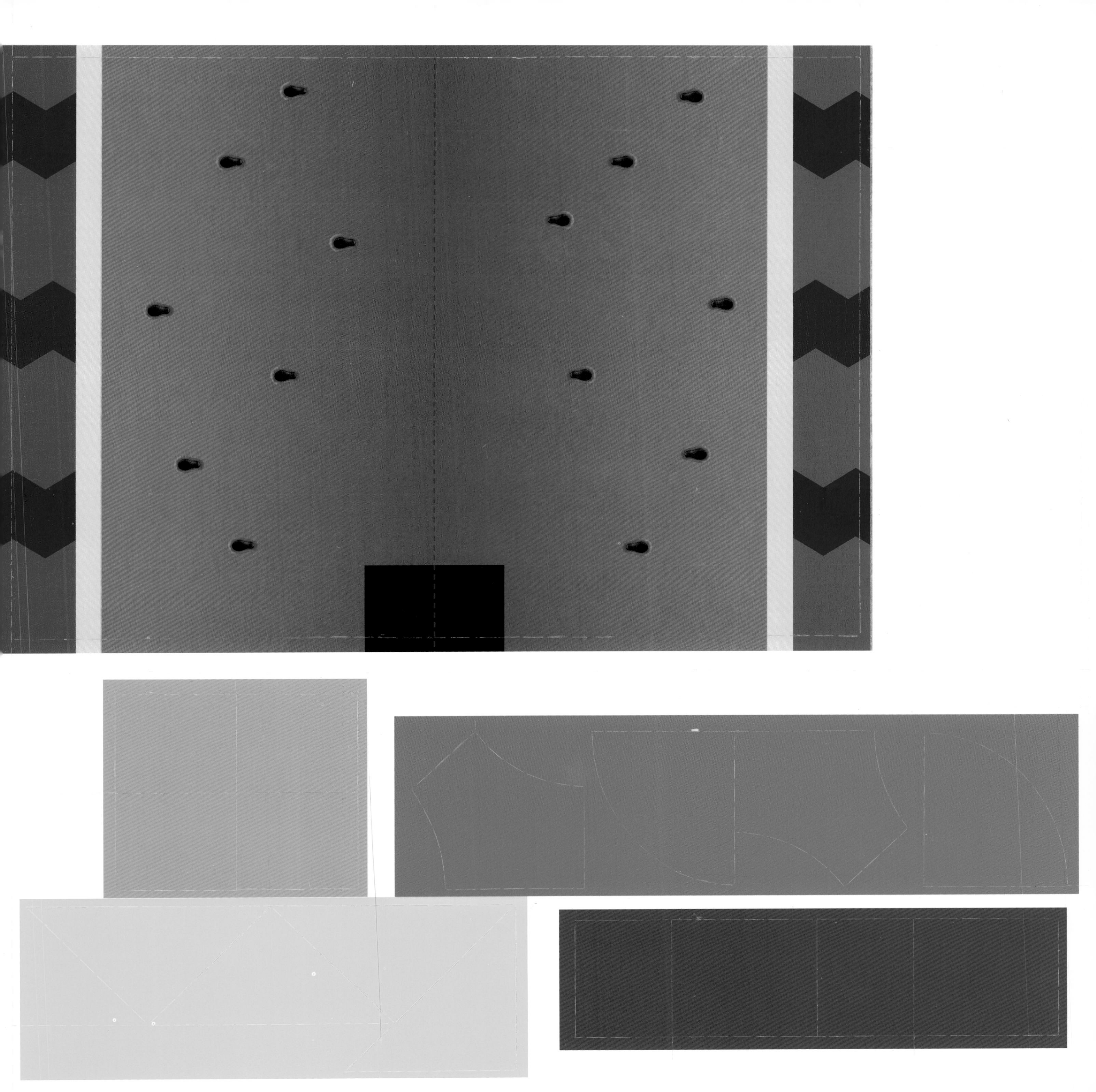

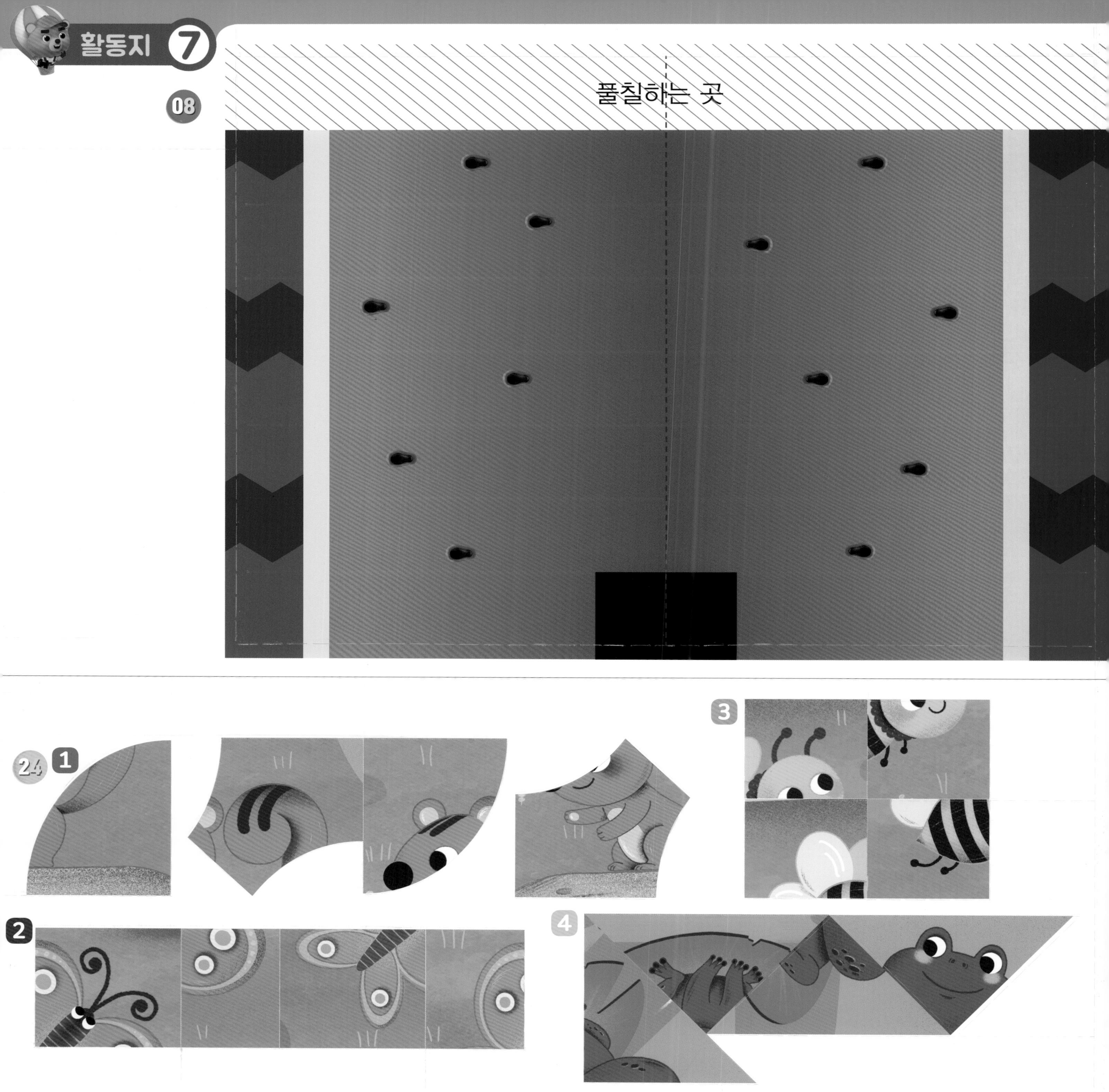

활동지 7
08
풀칠하는 곳
24
1
2
3
4

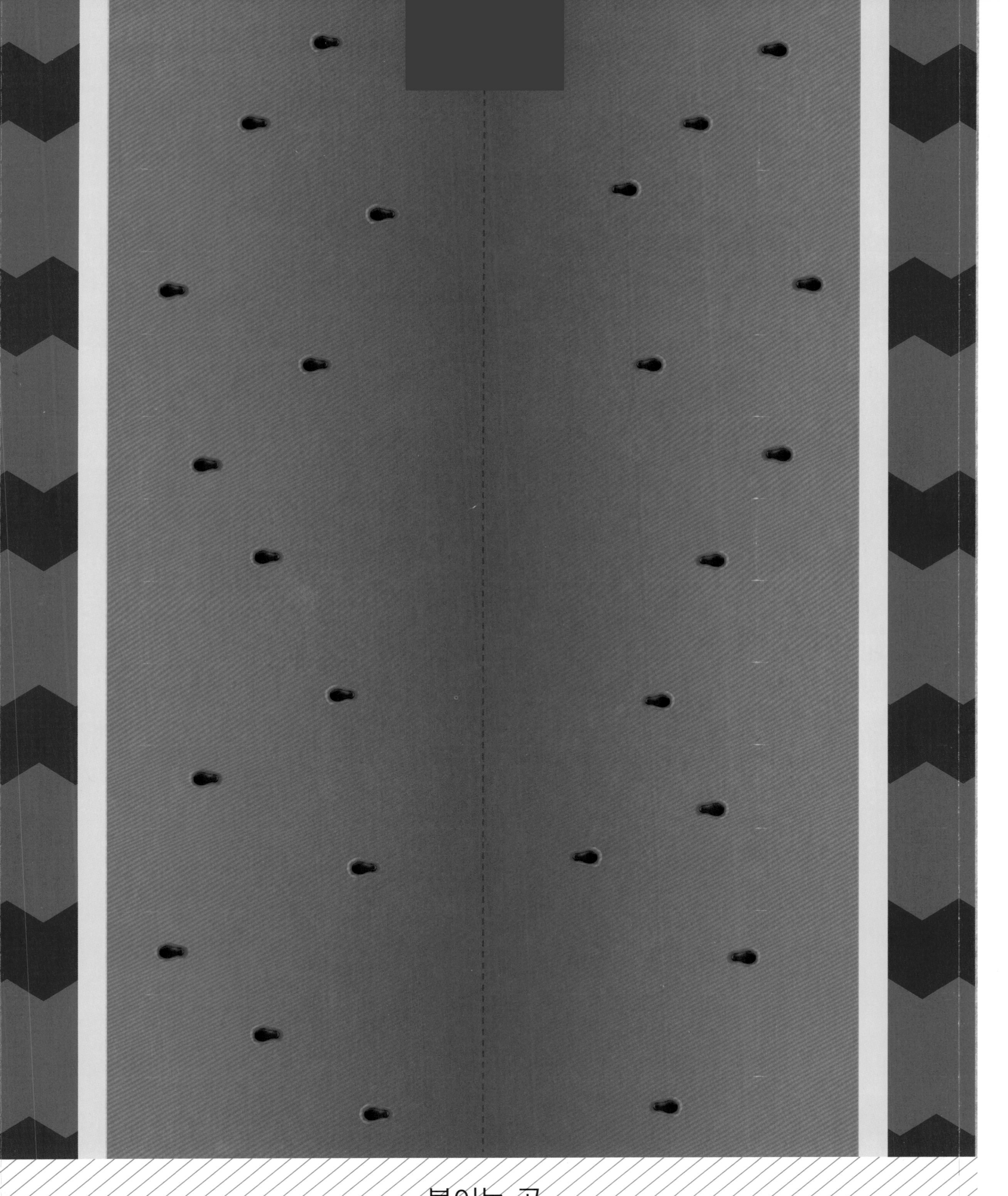

붙이는 곳

활동지 6
08

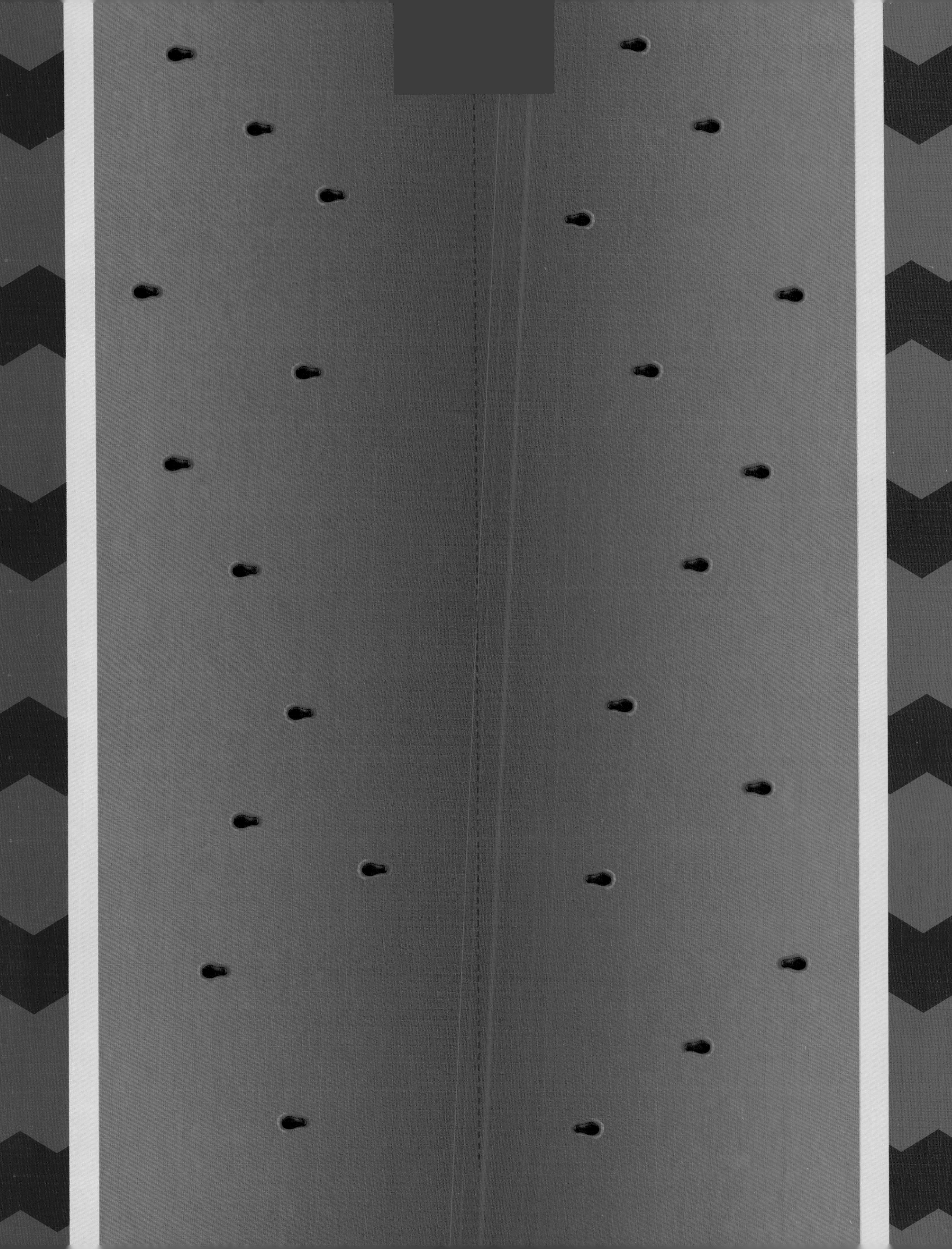

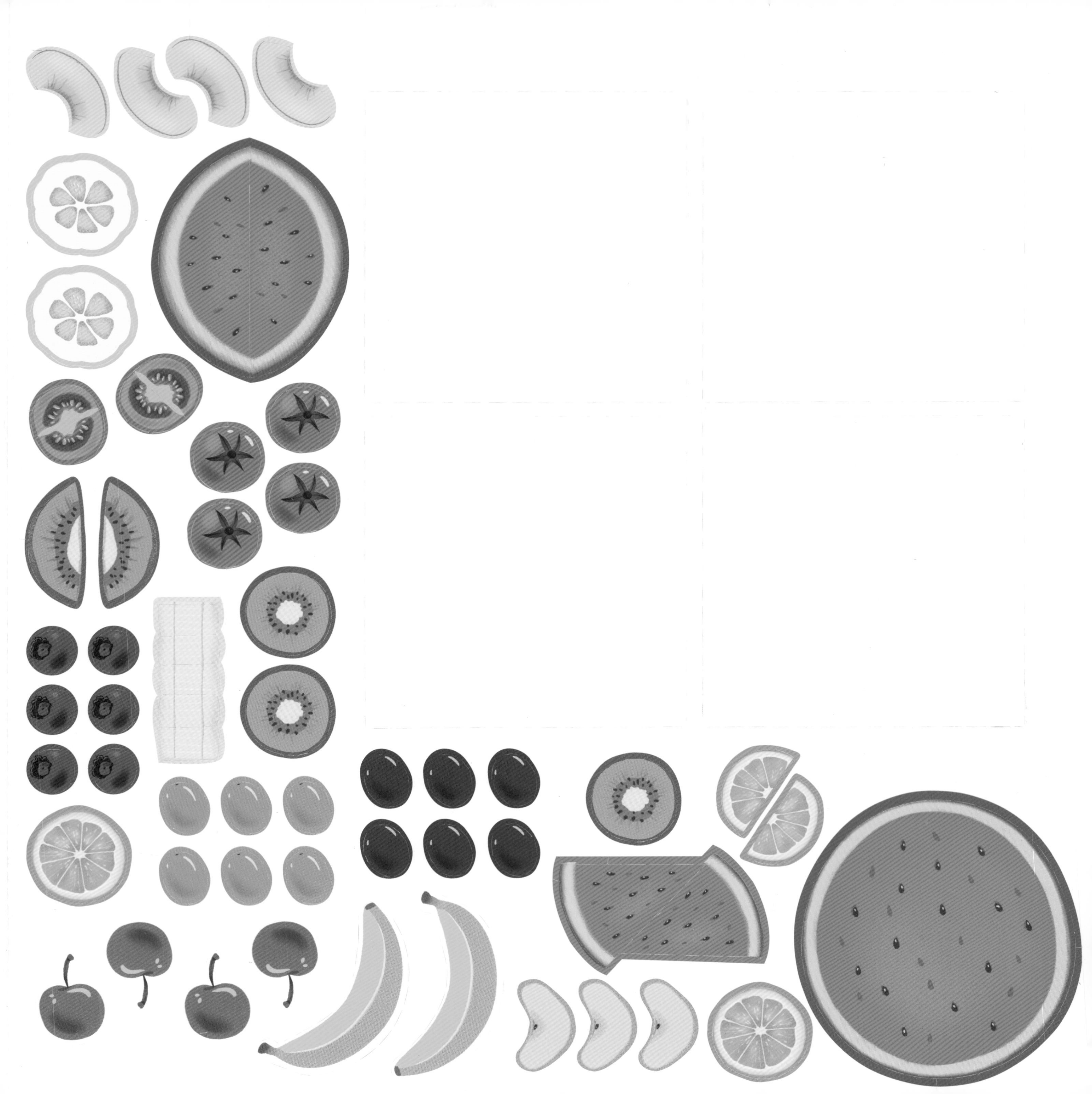

활동지 5
06
14

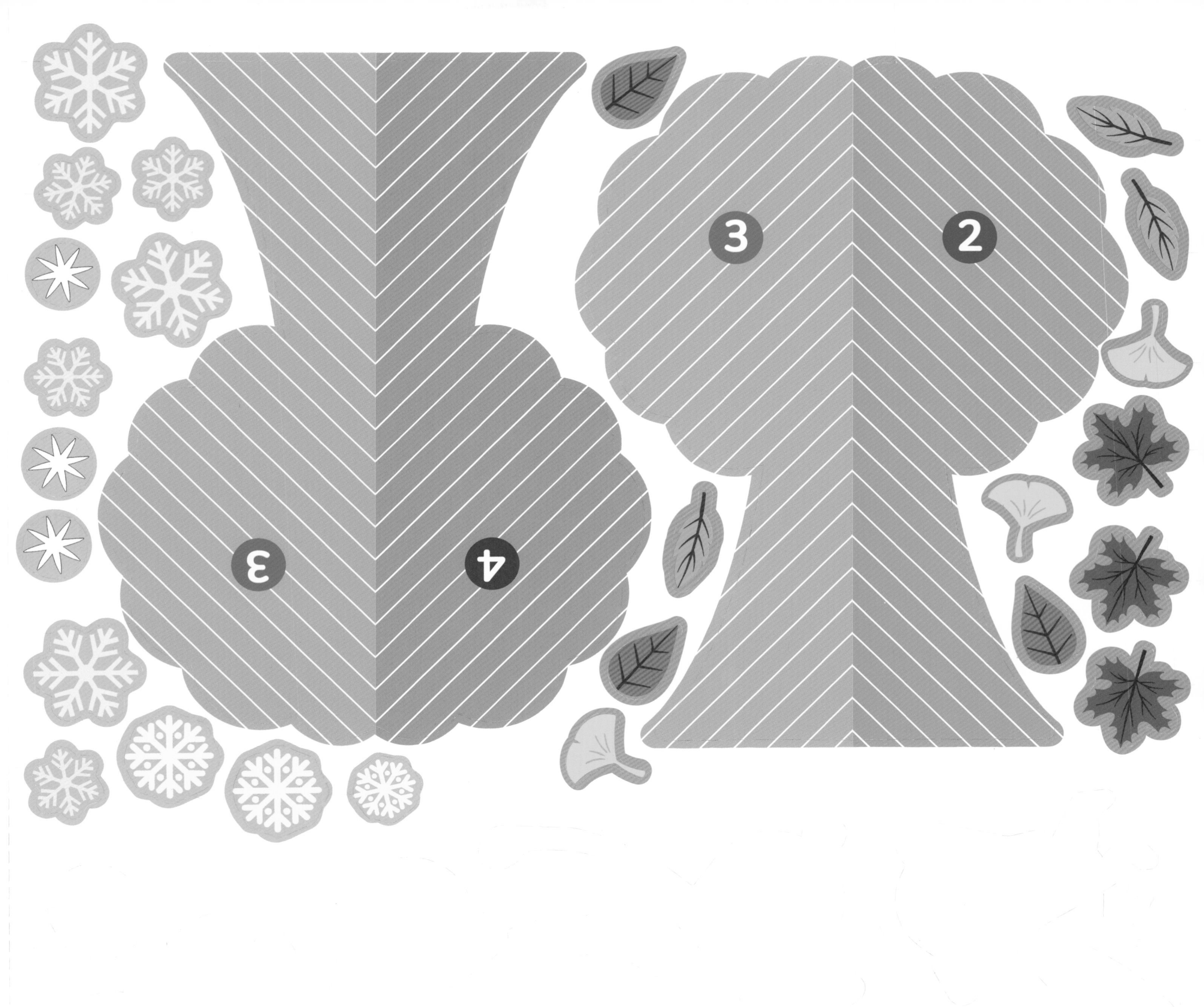
3
2
3
4

활동지 4
05
가을
겨울
10

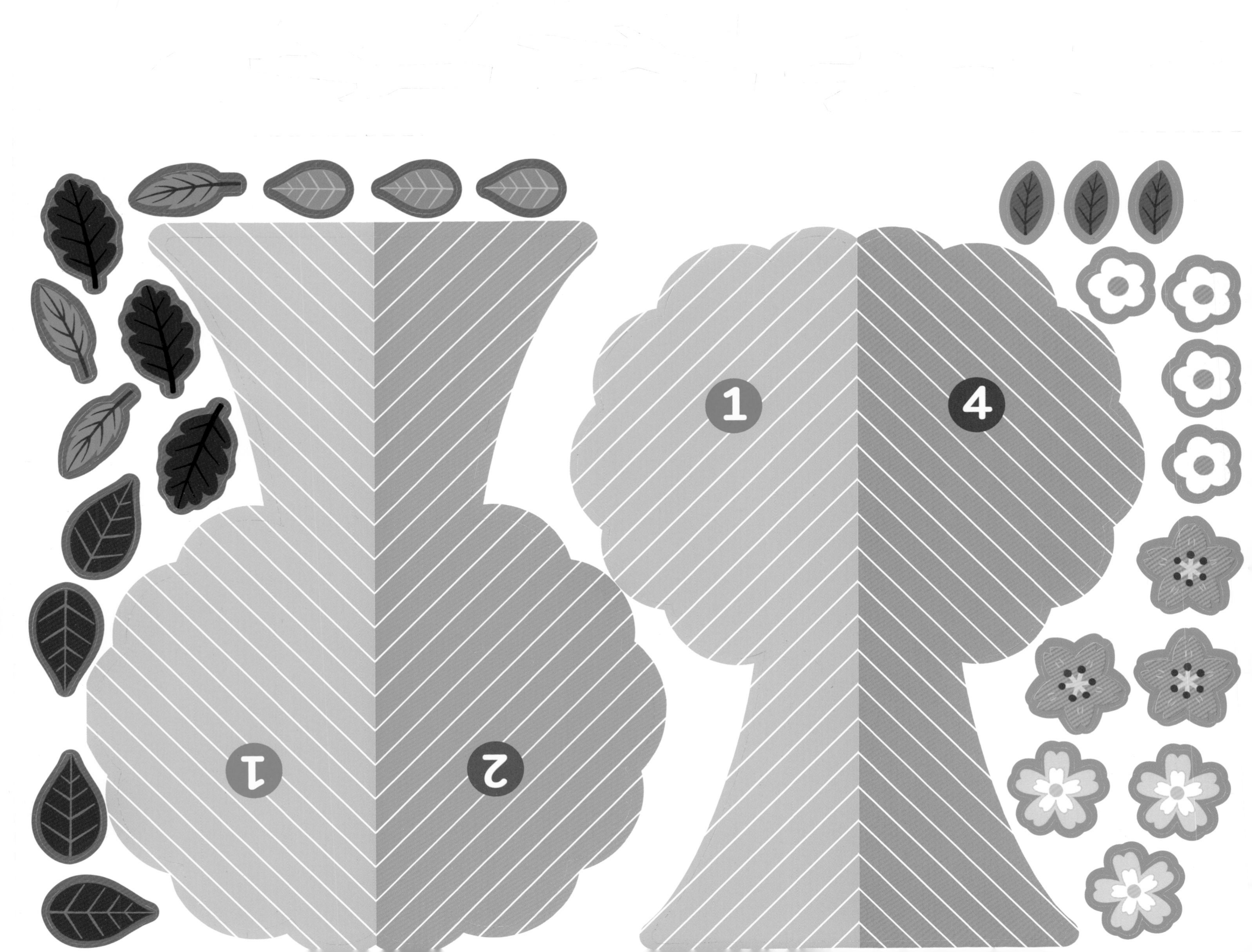

활동지 3
04
05
여름
봄

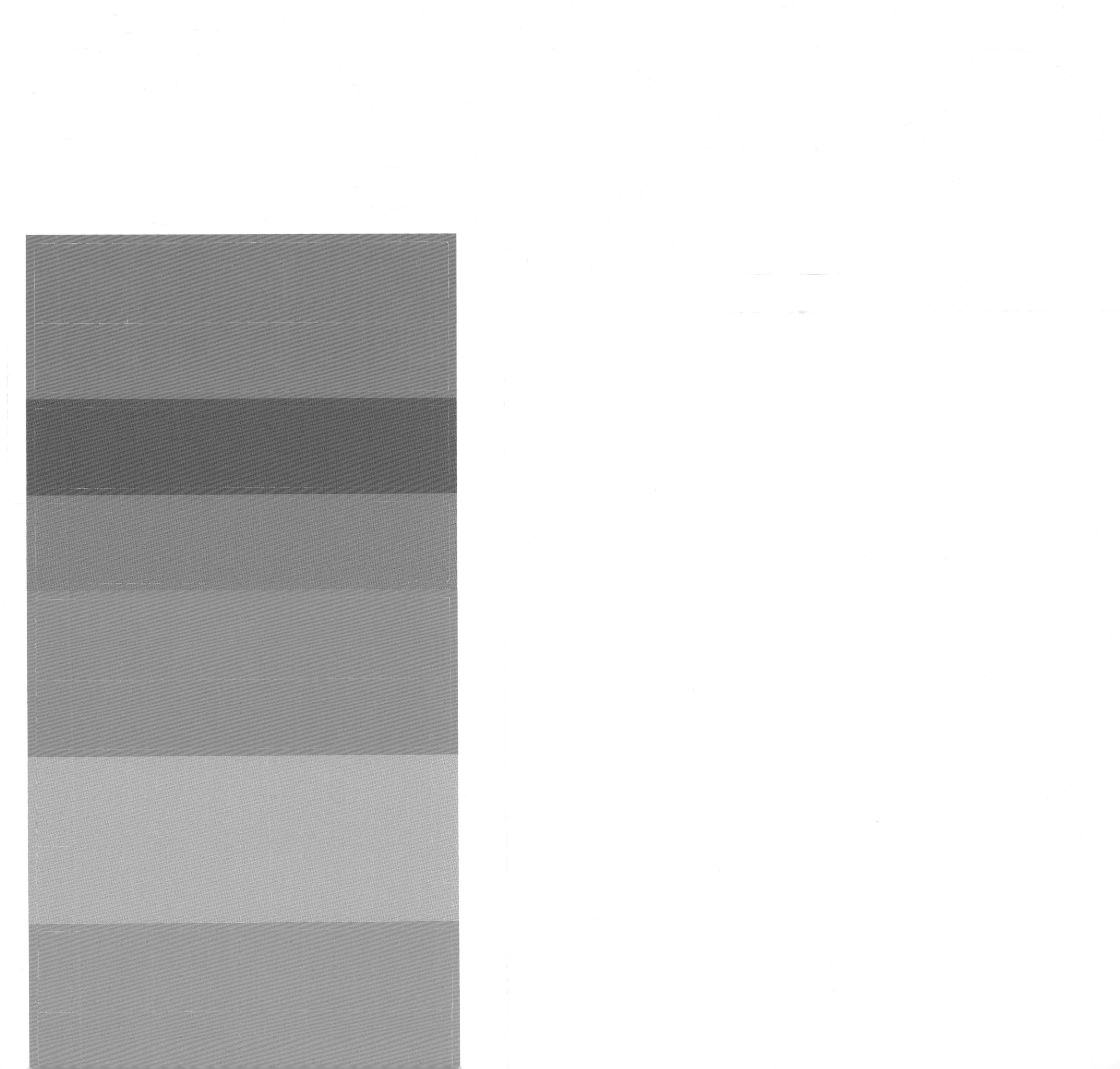

활동지 ②

02
03
풀칠하는 곳
풀칠하는 곳
풀칠하는 곳
풀칠하는 곳
풀칠하는 곳
풀칠하는 곳
풀칠하는 곳
풀칠하는 곳
풀칠하는 곳
풀칠하는 곳

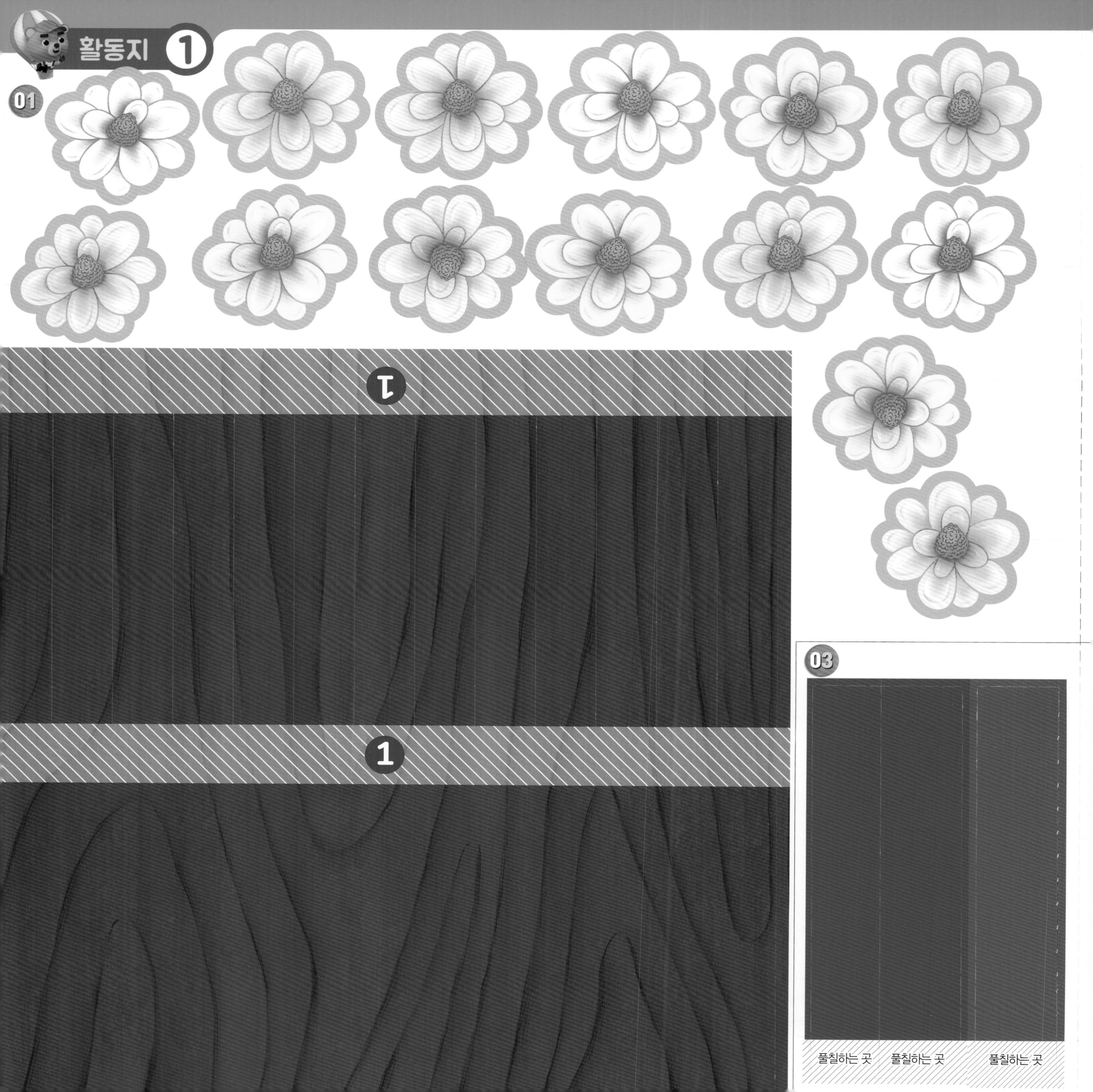
활동지 1
01
1
1
03
풀칠하는 곳
풀칠하는 곳
풀칠하는 곳

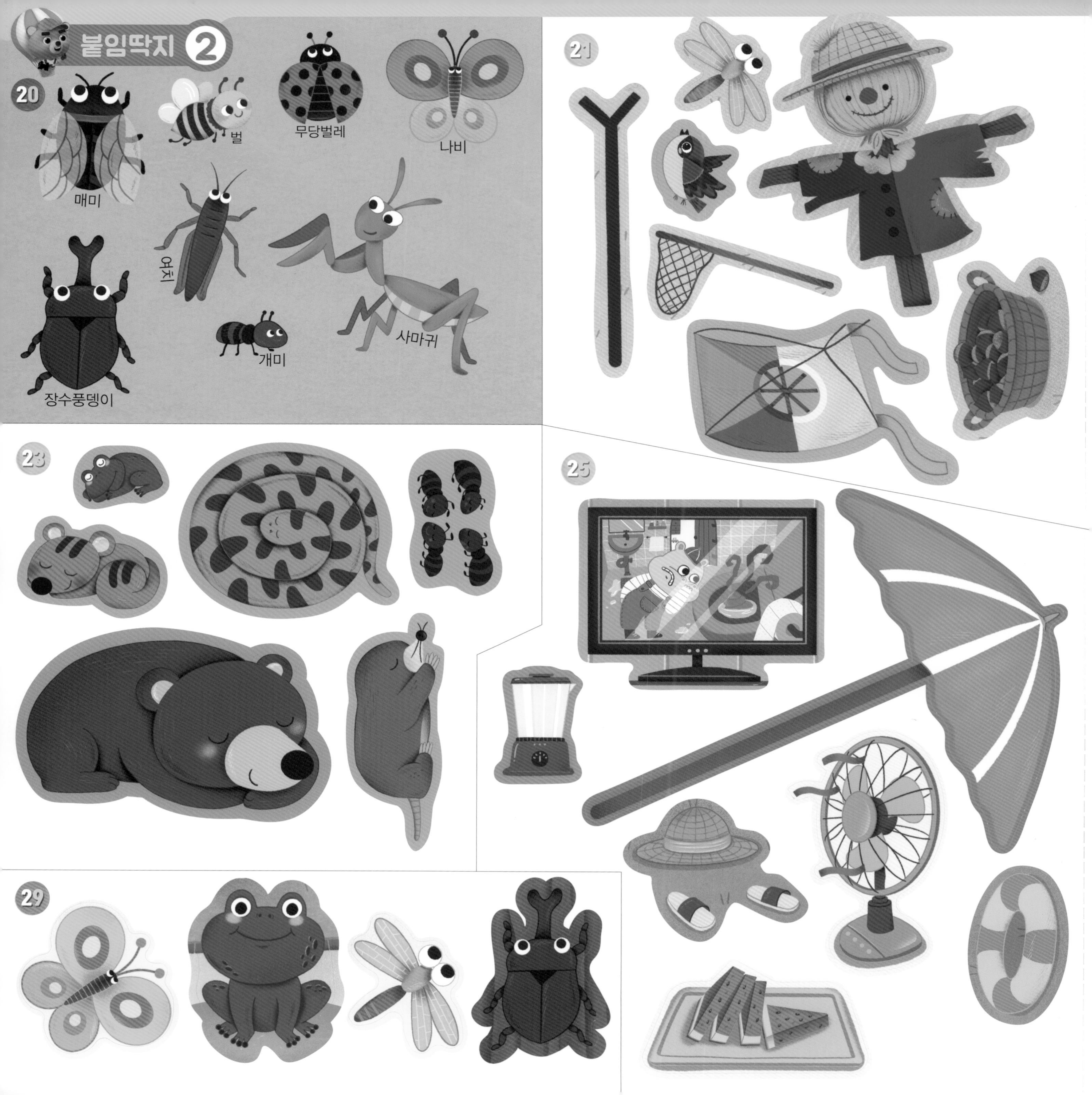

붙임딱지 2
20
매미
벌
무당벌레
나비
여치
사마귀
장수풍뎅이
개미
21
23
25
29

붙임딱지 1

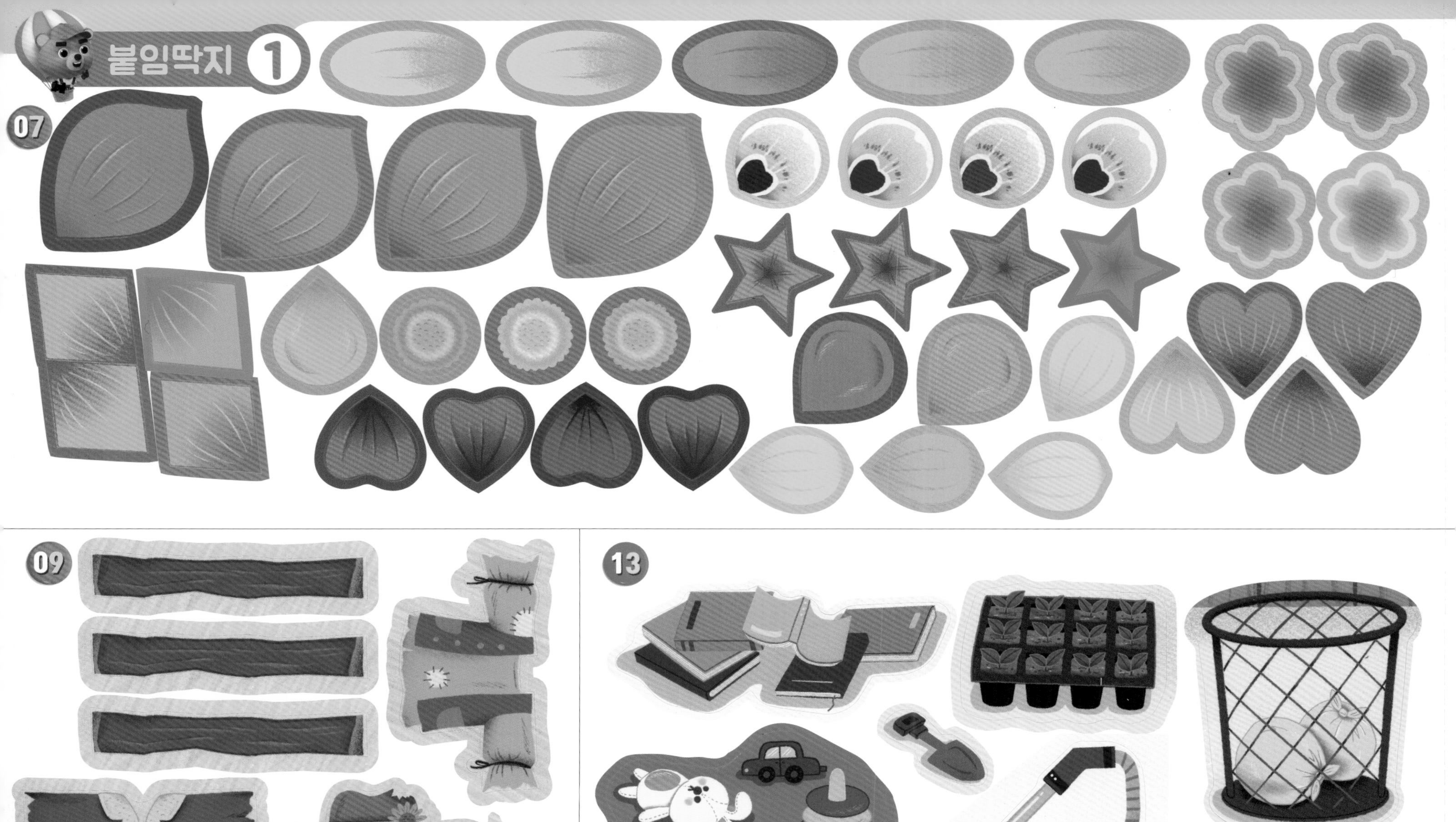